Nicolò Paganini

INNO PATRIOTTICO

M.S. 81

per violino solo | *for solo violin*

Edizione critica di | *Critical edition by* Italo Vescovo

RICORDI

Traduzione di | *Translation by* Avery Gosfield

NR 142299
ISMN 979-0-041-42299-2

Sommario | Contents

RINGRAZIAMENTI · Desidero ringraziare l'Archivio storico del Comune di Genova, proprietario del manoscritto dell'*Inno patriottico* per violino (M.S. 81) di Nicolò Paganini (Ms. 1792) per avermi concesso l'autorizzazione a pubblicare l'opera con l'immagine riprodotta, la dottoressa Maria Cristina Pellegatti dello stesso Archivio storico, il dottor Stefano Termanini (Archivio Eredi Sivori) per avermi mostrato le immagini e fornito le informazioni del manoscritto di sua proprietà, e il violinista Marco Rogliano per la preziosa consulenza tecnica.

ACKNOWLEDGEMENTS · I would like to thank the Archivio Storico del Comune di Genova, which owns the manuscript (Ms. 1792) of Nicolò Paganini's *Inno patriottico* for violin (M.S. 81), for allowing me to publish the work in edition and facsimile. I would also like to thank Dr. Maria Cristina Pellegatti, of the same Archivio Storico, Dr. Stefano Termanini (Archivio Eredi Sivori) for his having shown me a facsimile of and given me information about the manuscript in his possession, and the violinist Marco Rogliano for his precious technical advice.

INTRODUZIONE

Come documenta il nuovo *Catalogo tematico*,[1] le opere per violino solo di Nicolò Paganini, costituendo un *corpus* a sé stante, rappresentano un aspetto particolarmente significativo della sua produzione musicale.

Tale produzione, che vede al centro i *24 Capricci* op. 1 pubblicati da Ricordi nel 1820, comprende composizioni di vario carattere e struttura scritte in momenti diversi, quali *Inno patriottico*, *Tema variato* e *Sonata a violin solo* appartenenti al periodo giovanile (probabilmente prima del 1805), il *Valtz* in La maggiore composto probabilmente a Genova nel periodo 1803-1805, la *Sonata a violino solo* (nota anche come *Merveille de Paganini*) scritta nel periodo lucchese (1805-1809) e dedicata alla principessa Elisa Baciocchi, e altri brani appartenenti a un periodo successivo quali *Capriccio a violino solo* del 1821 su "In cor più non mi sento", *Capriccio per violino solo*, un singolare brano vergato su quattro pentagrammi scritto a Vienna nel 1828, le variazioni su *God Save The King* del 1829 e il *Caprice d'adieu* del 1833.

Di seguito l'elenco delle composizioni per volino solo secondo il CTA:

M.S. 6   *Sonata a violino solo (Merveille de Paganini)*
M.S. 25   *Ventiquattro capricci* op. 1
M.S. 44   *Capriccio a violino solo* su «In cor più non mi sento»
M.S. 54   *Capriccio per violino solo*[2]
M.S. 56   *God Save The King*
M.S. 68   *Caprice d'adieu*
M.S. 80   *[Valtz]*
M.S. 81   *Inno patriottico*[3]
M.S. 82   *Tema variato*

M.S. 83   *Sonata a violin solo*
M.S. 136   *Contradanze inglesi*
M.S. 138   *Quattro studi*

In sostanza, se si escludono i *24 Capricci*, che costituiscono la parte indiscutibilmente più importante – la più studiata ed eseguita – e qualche altro titolo, il resto delle composizioni per violino solo non ha registrato nel tempo un particolare interessamento da parte degli studiosi (e degli interpreti) del grande violinista, che hanno trascurato, di fatto, alcune pagine musicalmente interessanti, che per carattere e originalità meriterebbero un maggiore approfondimento critico.[4]

Tra queste la *Sonata a violino solo* M.S. 6 (*Merveille de Paganini*), il *Caprice d'adieu* M.S. 68, il *Capriccio per violino solo* "In cor più non mi sento" M.S. 44, il *Tema variato* M.S. 82, il *Capriccio per violino solo* M.S. 54 e il *Valtz* M.S. 80, pubblicate recentemente in edizione critica, a cura dello scrivente,[5] il cui scopo principale – oltre quello di consegnare un testo filologicamente attendibile – è quello di contribuire a completare il variegato quadro di insieme delle opere per violino solo del grande musicista genovese, che comprende sia capolavori (*24 Capricci* op. 1), sia piccole composizioni, come il *Valtz* M.S. 80, il *Capriccio per violino solo* M.S. 54, *Alla spagnola*, pagina recentemente ritrovata e pubblicata da Ricordi nel 2020 e *4 Valtz*.[6]

L'*Inno patriottico con variazioni* per violino solo M.S. 81 è un brano riconducibile al periodo giovanile (1796-1800) del compositore genovese, che comprende opere quali la *Carmagnola con variazioni* M.S. 1 per violino e chitarra, il *Grande Concerto* (Concerto per violino in Mi minore), opera postuma M.S. 75 e il *Tema variato* per violino M.S. 82, composizioni giunte in copia. I quattro manoscritti furono reperiti a Londra presso l'antiquario Hermann Baron e poi acquistati nel 1972 dalla Cassa di Ri-

---

1. Per il catalogo completo delle composizioni di Paganini (cui si riferisce la sigla M.S.) si vedano: Maria Rosa Moretti e Anna Sorrento, *Catalogo tematico delle musiche di Niccolò Paganini*. Genova, Comune di Genova, 1982; *Catalogo tematico delle musiche di Niccolò Paganini. Aggiornamento*, Associazione Culturale Musica con le Ali, 2018. Quest'ultimo nel testo è chiamato CTA.

2. L'edizione critica Ricordi (2019) ha preferito riportare il titolo autografo *Capriccio per violino solo* M.S. 54, diversamente dal CTA e dal precedente *Catalogo tematico*.

3. Sia il CTA sia il precedente *Catalogo tematico* riportano questo brano come *Inno patriottico* M.S. 81; l'edizione Ricordi adotta la titolazione presente sul manoscritto paganiniano.

---

4. Per una biografia aggiornata e visione di insieme delle opere per violino solo si veda Danilo Prefumo, *Paganini, la vita, le opere, il suo tempo*, Lucca, LIM, 2020. Le composizioni per violino solo sono descritte alle pp. 203-226.

5. Rispettivamente nel 2016, 2017, 2018 e 2019 per i tipi di Casa Ricordi.

6. Niccolò Paganini, *4 Valtz* per violino, edizione critica a cura di Italo Vescovo, Bologna, Ut Orpheus, 2020.

sparmio di Genova e Imperia che successivamente li ha donati all'allora Istituto di Studi Paganiniani di Genova.[7]

Dell'*Inno patriottico* fino a qualche tempo fa si conosceva solo il manoscritto acquistato dalla Cassa di Risparmio di Genova, ma nel 1996 presso l'Archivio Eredi Sivori è stata rinvenuta una importante fonte non autografa, sostanzialmente concordante con l'altro manoscritto (cfr. Fonti). Il brano, tra quelli sopra citati, è l'unico a sollevare dubbi circa la sua destinazione strumentale. Il manoscritto infatti, riporta in basso a destra la scritta «violino», che potrebbe indicare che si tratta della parte relativa a questo strumento di una composizione destinata a più strumenti, probabilmente violino e chitarra. Tale organico è stato adottato da Paganini nella coeva *Carmagnola con variazioni*, opera con la quale l'*Inno patriottico* sembra avere particolari affinità musicali e "politiche"; ma trattandosi solo di un'ipotesi, il brano continua a essere collocato tra le opere per violino solo.

Attualmente le uniche certezze circa l'*Inno patriottico* riguardano la sua appartenenza al periodo giovanile e all'ambiente genovese, unitamente alla sua stretta parentela con la *Carmagnola*: entrambe le composizioni sono su un tema popolare con ritmo di danza in $\frac{6}{8}$ che rinvia al Perigordino, danza francese che appare nell'Appennino ligure nel periodo napoleonico. Lo stesso ritmo è presente anche in opere di poco successive come i *Divertimenti carnevaleschi* M.S. 4,[8] un insieme di danze popolari composte a Genova nel periodo 1804-1807 per il "Festone dei Giustiniani"; tra queste figurano sei *Alessandrine* e due *Perigordini* in tempo $\frac{6}{8}$. Riguardo all'*Inno patriottico* e all'elemento popolare nella musica di Paganini, così scrive Mauro Balma:[9]

> Sebbene non abbia nel titolo un riferimento esplicito alla tradizione genovese [...] l'*Inno patriottico* M.S. 81 [...] appartiene con tutta verosimiglianza alla produzione giovanile, dal momento che il

suo carattere è tipico del periodo della Repubblica ligure seguente alla Rivoluzione francese. Un decreto del Comitato di polizia del 1798, specifica che le feste a pagamento dovevano iniziare con «Sinfonia Patriotica che non potrà durare più di dieci minuti». È verosimile quindi che il pezzo sia stato concepito come brano festoso d'apertura fors'anche con accompagnamento estemporaneo di qualche strumento [...].

Prefumo, nel suo recente volume, a proposito di «manifestazioni di carattere patriottico e popolare» che potevano svolgersi anche a teatro, riporta una notizia apparsa sulla «Gazzetta Nazionale della Liguria» del 26 gennaio 1799:

> tra molti evviva repubblicani si distinse il cittadino Ponta, che riscosse gli applausi de' convitati con un poetico canto improvvisato. Vi fu alla sera una splendida illuminazione al Teatro; ove finita l'opera gli attori cantarono un Inno patriottico scritto dal suddetto poeta, tanto benemerito della libertà, e delle muse.

È probabile che il brano di Paganini sia stato scritto per una di queste occasioni. Il poeta e letterato genovese Gioacchino Ponta, tra l'altro, fu amico del violinista [...].[10]

La struttura dell'*Inno patriottico con variazioni* ricalca sostanzialmente quelle di *Carmagnola* e *Tema variato*: un tema seguito da una serie di variazioni in cui Paganini esplicita il personale concetto di variazione. Delle tre opere il *Tema variato* è quella musicalmente più matura, mentre le altre due mostrano tra loro una maggiore vicinanza cronologica e hanno nell'indicazione di tempo in $\frac{6}{8}$ (e nell'organico, qual ora l'*Inno* avesse la chitarra) il tratto comune più evidente, oltre alla tonalità di La maggiore presente peraltro anche nel *Tema variato*.

Dal punto di vista tecnico-strumentale i tre brani coevi recano elementi comuni legati al virtuosismo quali: uso del registro acuto e di intervalli di ampia estensione, arpeggi su più ottave anche in raggruppamenti ritmici irregolari (*Variazione IV*), alternanza tra la 4ª corda e gli armonici semplici e doppi, chiamati *Flagioletti* (*Variazione V*), doppie corde, effetti timbrici come l'*Organetto* (*Variazione II*).

Elementi comuni a parte, *Inno patriottico* mostra un minore respiro rispetto a *Carmagnola* e *Tema variato* e una contrazione nel numero delle variazioni.[11] La sua struttura comprende il *Tema* (venti misure) arti-

---

7. Secondo il CTA *Inno patriottico* e *Tema variato* risulterebbero composti nel periodo 1796-1800 (pp. 156-157), mentre la *Carmagnola con variazioni* sarebbe del 1795-1800 (p. 79). Dal 2002 i quattro manoscritti sono conservati nell'*Archivio storico del Comune di Genova*.

8. NICOLÒ PAGANINI, *Divertimenti carnevaleschi per due violini e basso* M.S. 4, edizione critica a cura di Italo Vescovo e Flavio Menardi Noguera, Milano, Edizioni Suvini Zerboni, 2011.

9. MAURO BALMA, *La tradizione popolare fonte di ispirazione per Paganini*, in *Paganini divo e comunicatore*, Atti del Convegno Internazionale, Genova 3-5 dicembre 2004, a cura di Maria Rosa Moretti, Anna Sorrento, Stefano Termanini, Enrico Volpato, Genova, SerEl International EEditrice.com, 2007, pp. 227-254: 238.

10. PREFUMO, cit., p. 222, nota 41.

11. La *Carmagnola* comprende quattordici variazioni; il *Tema variato* solo sette.

colato in due parti con ritornello, la prima di quattro, la seconda di sedici battute; stessa articolazione si registra nelle *Variazioni I, III, IV* e *VI*.[12] Nelle *Variazioni II* e *V*, la divisione in due parti segue invece uno sche-

ma apparentemente diverso, la prima di otto misure (che corrisponde alle quattro misure col ritornello del *Tema*), la seconda di sedici con ritornello (corrispondenti alla seconda parte del *Tema*).

12. Tale struttura è presente anche nel *Tema variato* (*Tema, Var. I, III, V* e *VII*).

FONTI

Manoscritto 1 (Archivio Eredi Sivori, Genova)

Si tratta di una fonte manoscritta recentemente rinvenuta presso gli eredi del grande violinista genovese Camillo Sivori, allievo di Paganini, cosa che conferisce a questa copia particolare valore.

Il manoscritto, un fascicolo di formato oblungo di quattro carte (cm 21,6×30), reca sul frontespizio: «Inno patriotico [*sic*] con Variazioni | di Nicolò Paganini | Violino»,[1] cui fa seguito la musica che è scritta alle carte 1*v*-4*r* (c. 4*v* vuota). Questa fonte sostanzialmente corrisponde con quella dell'Archivio storico del Comune di Genova, anche nel titolo «patriotico»; risulta redatta con molta precisione nella notazione musicale, è completa nelle dinamiche e puntuale nelle articolazioni.

Come l'altro manoscritto la carta utilizzata reca la filigrana «Ben.to Picardo e Figli» (Benvenuto Picardo).

Manoscritto 2 (Archivio storico, Genova)

Il manoscritto non autografo dell'*Inno patriottico con variazioni*, conservato nell'Archivio Storico del Comune di Genova (A.S.C.G., *Ms. 1792*), è costituito di quattro carte di formato oblungo (due fogli cuciti di cm 22×30, con dieci pentagrammi) e scritte fronte e retro; la musica occupa le cc. 1*v*-3*r* (cc. 3*v*-4 vuote). La carta, come si evince dalla filigrana «F B» (Benvenuto Picardo e Figli), è di provenienza voltrese, ed è la medesima utilizzata anche per *Carmagnola con*

variazioni, Tema variato e Grande concerto. Il testo musicale risulta sufficientemente nitido, privo di cancellature, anche se non mancano situazioni dubbie come, ad esempio, alcune figurazioni ritmiche con valori irregolari contenute nella *Variazione IV*.

Per quanto riguarda le indicazioni dinamiche e le articolazioni questa fonte risulta poco corredata e, talvolta, per le legature, imprecisa.

Il frontespizio reca al centro pagina «Inno Patriotico [*sic*] con Variazioni | di Nicolò Paganini», in basso a destra «Violino».[2]

Edizione

Niccolò Paganini, *Inno patriottico con variazioni* per violino e chitarra, edizione critica a cura di Fabrizio Ammetto, Milano, Curci, 2004 (Lastra: E. 11488 C.).

È la prima edizione critica dell'*Inno patriottico con variazioni*, nella versione per violino e chitarra con la parte di quest'ultimo strumento realizzata dallo stesso curatore seguendo il modello della *Carmagnola* (una parte per il tema, un'altra per le variazioni). L'edizione, con traduzione in inglese, è così strutturata: Introduzione (breve storia del brano e sua descrizione), Fonti, Apparato critico.[3]

1. Questa copia si trova nell'Archivio Eredi Sivori, un importante fondo privato genovese che, oltre a comprendere musiche, lettere e cimeli del violinista e compositore Camillo Sivori (1815-1894), custodisce alcuni autografi di Paganini, suo maestro. Al riguardo si veda Flavio Menardi Noguera e Stefano Termanini, *Il ritrovamento dell'archivio di Camillo Sivori*, «Quaderni dell'Istituto di studi paganiniani», VIII (1996), pp. 5-26.

2. Il facsimile dell'*Inno* è pubblicato in Maria Rosa Moretti e Anna Sorrento, *Facsimile dell'Inno patriottico per violino solo* (M.S. 81), «Quaderni dell'Istituto di studi paganiniani», XIV (2002), pp. 18-22.

3. A p. 13 si legge: «Le due fonti sono indubbiamente correlate, come dimostrano alcune particolarità grafiche, poche indicazioni [...] ed un paio di errori congiuntivi (b. 95). In ogni caso la fonte B [Archivio Sivori] risulta molto più precisa e dettagliata della fonte A [Archivio storico del Comune di Genova]. È lecito supporre una copiatura indipendente, delle fonti A e B, a partire da un antigrafo sconosciuto o perduto».

CRITERI DELL'EDIZIONE

La presente edizione critica è basata sul manoscritto di proprietà degli Eredi Sivori, collazionato con quello conservato presso l'Archivio Storico del Comune di Genova e l'edizione Curci (cfr. Fonti).

Tutte le scritte di carattere musicale presenti nel manoscritto sono state conservate e riportate in corsivo. Gli interventi di revisione sono riportati tra parentesi quadre, le legature aggiunte sono tratteggiate. Si è preferito non integrare indicazioni dinamiche e lasciare all'interprete piena libertà di scelta.

Le pochissime dinamiche p^o e f^e e sono state uniformate all'uso moderno (p e f).

Si è preferito aggiungere il segno di ritornello all'inizio delle *Variazioni I, III, IV* e *VI* per una corretta disposizione del testo musicale. Per quanto riguarda la quarta variazione con le sue particolarità ritmiche, si è preferito seguire la lezione concordante delle due fonti manoscritte al fine di documentarne le caratteristiche notazionali, evitando arbitrarie interpretazioni.

Abbreviazioni
Il manoscritto non registra segni di abbreviazione se non quelli relativi a «8va» che sono stati conservati solo nei punti in cui scioglierli avrebbe comportato un uso eccessivo di tagli addizionali.

Alterazioni
Per le alterazioni mancanti e quelli di cortesia aggiunte dal revisore si sono adottate le parentesi quadre, mentre quelle superflue, poche peraltro, sono state tacitamente cassate. Secondo una consuetudine di Paganini, l'alterazione posta davanti a una nota vale anche per tutte le altre note dello stesso nome anche se di altezza diversa all'interno della battuta; pertanto in questi casi le alterazioni sono state aggiunte tacitamente, senza accorgimenti grafici.

ABBREVIAZIONI

Fonti
AS Manoscritto dell'Archivio Eredi Sivori
Gac Manoscritto dell'Archivio storico del Comune di Genova (Ms. 1792)
EC Milano, Edizioni Curci, 2004

b./bb. battuta/e
I, II ecc. primo, secondo ecc. tempo della battuta

Le note musicali sono citate nelle *Note critiche* seguendo il sistema sotto esposto:

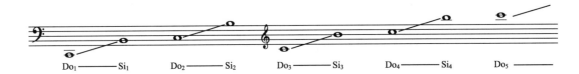

Il segno «+» posto tra due o tre note, indica un rapporto armonico tra i suoni (bicordi, accordi), il segno «-» indica invece la successione melodica.

INTRODUCTION

As can be seen in the revised *Catalogo tematico* (Thematic Catalogue),[1] Nicolò Paganini's works for solo violin, which constitute a *corpus* in themselves, are one of the most significant components of his musical production.

These works, with the *24 Capricci* op. 1 published by Ricordi in 1820 at their core, are made up of compositions that encompass a number of contrasting styles and structures that were written during different periods of Paganini's life, such as the *Inno patriottico, Tema variato* and *Sonata a violin solo*, belonging to his juvenile period, probably written before 1805; the *Valtz* in A major, presumably composed in Genoa between 1803 and 1805; as well as the *Sonata a violino solo* (also known as *Merveille de Paganini*), dedicated to Princess Elisa Baciocchi, composed during his stay in Lucca (1805-1809). The *Capriccio a violino solo* on *"In cor più non mi sento"*, written in 1821, like the singular *Capriccio per violino* (notated across four staves) composed in Vienna in 1828, the variations on *God Save the King* (1829) and the *Caprice d'adieu* (1833) all date from a later period.

Below is a list of compositions for solo violin according to the CTA:

M.S. 6   *Sonata a violino solo (Merveille de Paganini)*
M.S. 25   *Ventiquattro capricci* op. 1
M.S. 44   *Capriccio a violino solo* su «In cor più non mi sento»
M.S. 54   *Capriccio per violino solo*[2]
M.S. 56   *God Save The King*
M.S. 68   *Caprice d'adieu*
M.S. 80   *[Valtz]*
M.S. 81   *Inno patriottico*[3]

M.S. 82   *Tema variato*
M.S. 83   *Sonata a violin solo*
M.S. 136   *Contradanze inglesi*
M.S. 138   *Quattro studi*

In essence, besides the *24 Capricci*, without a doubt the most important, most studied and most performed of this group, and a few other compositions, none of the other compositions for solo violin have generated particular interest on the part of Paganini scholars (or performers), to the detriment of a group of pieces that deserve greater consideration and study for their originality and distinctive character.[4]

They include the *Sonata a violino solo* M.S. 6 (*Merveille de Paganini*), the *Caprice d'adieu* M.S. 68, the *Capriccio per violino solo* on *"In cor più non mi sento"* M.S. 44, the *Tema variato* M.S. 82, the *Capriccio per violino solo* M.S. 54 and the *Valtz* M.S. 80, all of which have been recently published in critical edition by the present author,[5] whose main purpose – apart from providing a philologically reliable edition – is to help to flesh out an overview of the Genovese maestro's variegated output for solo violin, made up of both masterworks (like the *24 Capricci* op. 1), and minor compositions, such as the *Valtz* M.S. 80, *Capriccio per violino solo* M.S. 54, and *Alla spagnola*, recently rediscovered and published by Ricordi in 2020, as well as the *4 Valtz*.[6]

The *Inno patriottico con variazioni* for solo violin M.S. 81 dates from Paganini's juvenile period (1796-1800), which also includes works such as the *Carmagnola con variazioni* M.S. 1 for violin and guitar, the *Grande Concerto* (Violin Concerto in E minor), *opera postuma* M.S. 75; and his *Tema variato* for violin M.S. 82, all compositions for which no autograph sources survive. The four manuscripts were discovered in London by the antiquarian Hermann Baron before being bought in 1972 by the Cassa di Rispar-

---

1. For the complete catalogue of Paganini's compositions, see MARIA ROSA MORETTI and ANNA SORRENTO, *Catalogo tematico delle musiche di Niccolò Paganini*, Genova, Comune di Genova, 1982; and *Catalogo tematico delle musiche di Niccolò Paganini. Aggiornamento*, [Revised Edition], Milano, Associazione Culturale Musica con le Ali, 2018. All of the manuscript sigla used here are taken from this catalogue, henceforth referred to as the CTA.

2. In the Critical Edition published by Ricordi (2019), the choice was made to retain the title as it appears in the autograph manuscript: *Capriccio per violino solo* M.S. 54, in contrast to the CTA and the *Catalogo tematico*.

3. Both the CTA and the *Catalogo tematico* that preceded it call this work *Inno patriottico* M.S. 81; in the Ricordi edition it has been given the title found in the autograph manuscript.

4. For an updated biography and a general overview of his works for solo violin, see DANILO PREFUMO, *Paganini, la vita, le opere, il suo tempo*, Lucca, LIM, 2020. The compositions for solo violin are discussed on pp. 203-226.

5. In, respectively, 2016, 2017, 2018 and 2019 for the presses of *Casa Ricordi*.

6. NICOLÒ PAGANINI, *4 Valtz* for violin, critical edition by Italo Vescovo, Bologna, Ut Orpheus, 2020.

mio di Genova e Imperia, which later donated them to the Istituto di Studi Paganiniani of Genoa.[7]

Until fairly recently, the only known copy of the *Inno patriottico* was that of the manuscript purchased by the Cassa di Risparmio di Genova, but in 1996, an important, non-autograph source, largely concordant with the other manuscript, was found in the Archivio Eredi Sivori, (see Sources). Among all of the pieces named above, this piece is the only one that could raise any doubts about its possible instrumentation. In fact, the manuscript has an indication – "violin" – written in its lower right-hand corner, which could point to it being the violin part of a composition meant for more than one instrument, most likely violin and guitar. Such an ensemble was used by Paganini in his *Carmagnola con variazioni*, written at around the same time, a work with which the *Inno patriottico* seems to share particular musical and "political" affinities. However, seeing that this is only a hypothesis, the piece continues to be placed among Paganini's works for solo violin.

At present, the only certainties we have about the *Inno patriottico* are that it dates from his early period, springs from a Genovese environment and has numerous similarities to the *Carmagnola*. Both compositions are based on a sprightly popular theme in $\frac{6}{8}$ that can be traced back to the *Perigordino*, a French dance that first appeared in the Ligurian Apennines during the Napoleonic period. The same rhythm is also found in works composed soon afterwards, such as the *Divertimenti carnevaleschi* M.S. 4,[8] a set of popular dances composed in Genoa between 1804 and 1807 for the *"Festone dei Giustiniani"* of which: six *Alessandrine* and two *Perigordini*, are in 6/8 time. Mauro Balma writes about the *Inno patriottico* and the popular elements in Paganini's music as follows:[9]

Even if its title does not contain any explicit references to the Genovese tradition [...] the *Inno patriottico* M.S. 81 [...] most likely belongs to his early

works, considering that its style is typical of the period of the Ligurian Republic subsequent to the French Revolution. A decree issued by the *"Comitato di Polizia"* in 1798 specifies that paid festivities were required to begin with a *'Sinfonia Patriotica,* which cannot last longer than ten minutes'. It is therefore likely that the piece was conceived as a festive opening piece, perhaps even with an impromptu instrumental accompaniment [...].

In his recent volume, Prefumo, while discussing the "patriotic and popular events" that sometimes took place in the theatre, mentions a news item that appeared in the "Gazzetta Nazionale della Liguria" on 26 January 1799:

Amid the widespread Republican cheering, it was citizen Ponta who stood out, winning the applause of the guests with an improvised poetic song. That evening, the theatre was splendidly illuminated, and once the opera had ended, the actors sang a patriotic hymn written by the abovementioned poet, deserving of praise from both the spirit of liberty and the muses.
In all probability, Paganini's piece was written for one of these occasions. In addition, the Genovese poet and man of letters Gioacchino Ponta was also a friend of the violinist. [...].[10]

The structure of the *Inno patriottico con variazioni* substantially follows that of the *Carmagnola* and *Tema variato*: a theme followed by a series of variations in which Paganini demonstrates his personal concept of variation. Of the three works, the *Tema variato* is the most musically mature, while the other two demonstrate their chronological closeness. A shared time signature, $\frac{6}{8}$, (as well as, possibly, their instrumentation, if the hypothesis of a guitar in the *Inno* is correct), are their clearest common traits; together with their key, that of A major, which is moreover used in the *Tema variato*.

From a technical-instrumental point of view, the three contemporaneous pieces have certain elements, linked to virtuosity, in common: the use of the high register and wide intervals, arpeggios that cover several octaves, sometimes in irregular rhythmic groupings (Fourth Variation), alternating playing on the 4th string with simple and double harmonics, known as *flageolets* (Fifth Variation), and the use of double strings or sonic effects such as *organetto* (Second variation).

Shared elements aside, the *Inno patriottico* is less developed than the *Carmagnola* or *Tema variato*, and

7. According to the CTA, the *Inno patriottico* and *Tema variato* were composed during the period between 1796 and 1800 (pp. 156-157), while the *Carmagnola con variazioni* was written between 1795 and 1800 (p. 79). Since 2002, all four manuscripts have been held at the Archivio storico del Comune di Genova.

8. NICOLÒ PAGANINI, *Divertimenti carnevaleschi per due violini e basso* M.S. 4, critical edition edited by Italo Vescovo and Flavio Menardi Noguera, Milano, Edizioni Suvini Zerboni, 2011.

9. MAURO BALMA, *La tradizione popolare fonte di ispirazione per Paganini*, in *Paganini divo e comunicatore*, Atti del Convegno Internazionale, Genoa 3-5 dicembre 2004, edited by Maria Rosa Moretti, Anna Sorrento, Stefano Termanini, and Enrico Volpato. Genova, SerEl International EEditrice.com, 2007, pp. 227-254: 238.

10. PREFUMO, cit., p. 222, footnote 41.

has less variations.[11] Its structure includes the *Tema* (twenty measures), which is divided into two parts, both with repeats. The first part lasts four bars, the second sixteen, which is the same structure found in *Variations I, III, IV* and *VI*.[12] The way in which *Variations II* and *V* are structured seems, at first, to be different: however, the first part is made up of eight measures (which correspond to the four measures, plus repeat, of the *Tema*), while the second lasts sixteen measures, and is repeated, just like the *Tema*.

11. The *Carmagnola* is made up of fourteen variations; the *Tema variato* has only seven.

12. The same structure can also be found in his *Tema variato* (*Tema, Var. I, III, V* and *VII*).

SOURCES

Manuscript 1 (Archivio Eredi Sivori, Genoa)

This is a recently rediscovered manuscript, found in the collection of the heirs of the great Genovese violinist Camillo Sivori, a pupil of Paganini, which makes it particularly valuable source.

The manuscript, a four-page oblong fascicle (21.6×30 cm), bears the title "*Inno patriotico* [*sic*] *con Variazioni | di Nicolò Paganini | Violino*"[1] on its frontispiece, followed by musical notation on folios 1*v*-4*r* (f. 4*v* is empty). This source substantially corresponds to the one held in the *Archivio storico del Comune di Genova*, also in its title, "*patriotico*". The music is notated with great precision, its dynamic indications are complete and the articulations have been written out with considerable accuracy.

Like the other manuscript, the paper used bears the watermark "Ben.to Picardo e Figli" (Benvenuto Picardo).

Manuscript 2 (Archivio Storico, Genoa)

The non-autograph manuscript of the *Inno patriottico con variazioni*, preserved in the Archivio Storico del Comune di Genova (A.S.C.G., *Ms. 1792*), is made up of four oblong papers (two sewn sheets of 22×30 cm, with ten staves) with writing on the front and the back; the music occupies ff. 1*v*-3*r* (ff. 3*v*-4 are empty). The paper, as can be deduced from the watermark "F B" (Benvenuto Picardo e Figli), comes from Volterra, the same paper used for the *Carmagnola con variazioni, Tema variato* and *Grande concerto*. The musical notation is fairly neat, without any erasures, even if not void of unclarities: for example, the rhythmic figures with irregular values found in the fourth variation.

As far as dynamic indications and articulations are concerned, the source is somewhat lacking, with slurs sometimes written out rather sloppily.

The frontispiece bears, in the centre of the page, the title "Inno Patriotico [*sic*] con Variazioni | di Nicolò Paganini", and in the bottom right-hand corner, the marking "Violino".[2]

Edition

NICCOLÒ PAGANINI, *Inno patriottico con variazioni per violino e chitarra*, Critical Edition edited by Fabrizio Ammetto, Milan, Curci, 2004 (Plate: E. 11488 C.).

The first critical edition of the *Inno patriottico con variazioni*, published in a version for violin and guitar with the part for the latter instrument composed by the editor, following the *Carmagnola* model (one part for the theme, another for the variations). The edition, which includes an English translation, is structured as follows: Introduction (with a description and brief history of the piece), a list of sources, and a critical apparatus.[3]

1. This source is held at the *Archivio Eredi Sivori*, an important private fund in Genoa, which, next to music, letters and memorabilia of the violinist and composer Camillo Sivori (1815-1894), also conserves a few autograph sources written by Paganini, his teacher. For more information, see: FLAVIO MENARDI NOGUERA and STEFANO TERMANINI, *Il ritrovamento dell'archivio di Camillo Sivori* in "Quaderni dell'Istituto di studi paganiniani", VIII (1996), pp. 5-26.

2. The facsimile of the *Inno* is published in MARIA ROSA MORETTI and ANNA SORRENTO, *Facsimile dell'Inno patriottico per violino solo (M.S. 81)*, "Quaderni dell'Istituto di studi paganiniani", XIV (2002), pp. 18-22.

3. See p. 13: "The two sources are undoubtedly related, as can be seen in some graphic features, the scarcity of indications [...] and a pair of shared errors (b. 95). In any case, Source B [Archivio Sivori] is much more precise and detailed than Source A [Archivio storico del Comune di Genova]. It is permissible to suppose that Sources A and B were both copied independently from an unknown or lost autograph".

EDITORIAL CRITERIA

The present critical edition is based on the manuscript owned by the Heirs of Camillo Sivori, which has been painstakingly compared to the manuscript currently held in the *Archivio storico del Comune di Genova* as well as the Curci edition (see Sources).

All musical indications in the manuscript have been kept and are written in italics. Any editorial changes are indicated in square brackets, while added slurs are indicated by dotted lines. No dynamic indications have been added, in order to leave the performer free to develop his or her own interpretation.

The very few dynamic indications written as *p°* and *f*ᵉ, have been brought into line with modern usage (*p* and *f*).

Repeat signs, absent in the original, have been added at the beginning of *Variations I, III, IV* and *VI* in order to favour an accurate reading.

As far as the fourth variation, and its rhythmic peculiarities, are concerned, the notation found in the two manuscript sources has been followed, in order to document its special notational characteristics and to avoid any arbitrary interpretation.

Abbreviations
The only abbreviations found in the manuscript are the octave indications (8ᵛᵃ), which have only been kept in the places where removing them would have led to having to notate notes in a position so far above the staff as to be unreasonable.

Accidentals
Missing accidentals, and those added by the editor, are indicated by square brackets, while the few superfluous ones have been tacitly deleted. For Paganini, an accidental placed in front of a note applied to all of the pitches of the same name, no matter what the octave, within the same measure: in these cases, the accidentals have been added tacitly, without any additional graphic signs.

ABBREVIATIONS

Sources

AS	Manuscript of the Archivio Eredi Sivori
Gac	Manuscript of the Archivio Storico del Comune di Genova (Ms. 1792)
EC	Milano, Edizioni Curci, 2004

b./bb.	bar(s)
I, II etc.	first, second etc. beat of the measure

Musical notes are cited in the Critical Notes following the system below:

The sign "+" placed between two or three notes indicates a harmonic relationship between the pitches (bichords, chords), while the sign "-" indicates a melodic succession.

Nicolò Paganini
INNO PATRIOTTICO
(M.S. 81)

2

Var. III

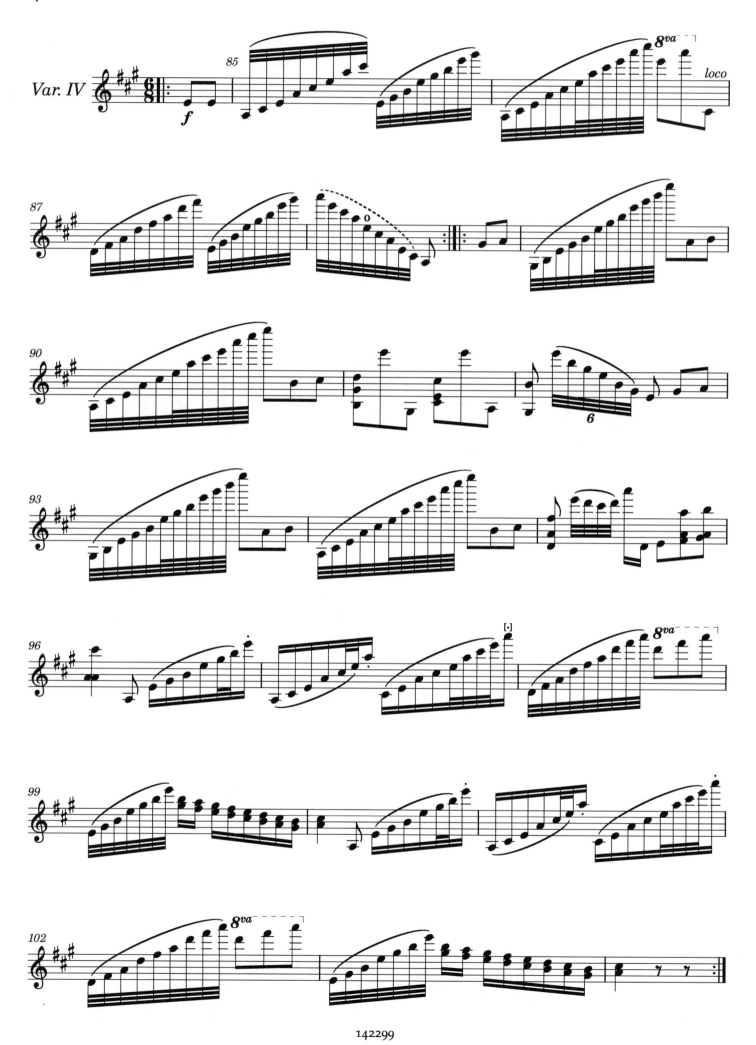

142299

NOTE CRITICHE

[*Tema*]

5 I, 6 I

AS, Gac = *sf*; mentre a 9 I e 10 I, stesso disegno *rf*. Dato il diverso significato dei due segni si è preferito seguire la lezione manoscritta. **EC** estende *sf* a 9 e 10.

Variazione I

21 I, 33 I

Gac: Terza croma *do⁵*.

25-26

AS, Gac: La particolare notazione "polifonica" è stata accolta ed estesa a 29-30, stesso disegno.

37 I

AS, Gac: L'indicazione di «8ᵛᵃ» in **AS** arriva sino a *fa⁴ + la⁵*, mentre in **Gac** arriva fino a *mi⁴ + sol⁵*; quest'ultima è stata accolta nell'edizione. Analogamente si registra in **EC**.

39 I

AS: L'indicazione di «8ᵛᵃ» che inizia a 38 I terza croma (*re⁵ + fa⁶*) arriva sino a *fa⁴ + la⁵* seconda croma. La soluzione adottata è presente anche in **EC**.

Variazione II

44 II, 56 I, 60 I

Gac: Indicazioni dinamiche mancanti.

Variazione III

66, 78 II

Gac: I punti di staccato sono presenti solo in queste due bb.

70

AS, Gac: Manca lo staccato.

78 I-79 I, 82 I-83 I

EC: La legatura inizia su *fa⁵* semicroma. L'articolazione è mancante in **Gac**.

82 I

Gac: L'indicazione di «8ᵛᵃ» che inizia a 80 I terza croma (*la⁵*) non è molto precisa, essa prosegue andando a capo al rigo inferiore, quasi sino al *re⁵* croma di 82 I.

Variazione IV

89 I

Gac: Legatura dal *sol²* semibiscroma al *si⁵*.

95 I

Il valore delle ultime due crome è stato corretto in semicrome. **EC** sostituisce il *la⁵* con *fa⁵*.

96 II, 97 I, 100 II

Gac: Manca lo staccato (*mi⁵, la⁴, la⁵*).

Variazione VI

131 II

Gac: L'indicazione a «8ᵛᵃ» è posta sulle ultime tre semicrome (*si⁵ - mi⁶ - sol⁶*).

CRITICAL NOTES

[*Tema*]

5 I, 6 I

AS, **Gac** = *sf*; while at 9 I and 10 I, the same melodic pattern is marked *rf*. Given the different meanings of the two signs, the manuscript indications were preferred. In EC, the *sf* in 5 and 6 is extended to 9 and 10.

Variation I

21 I, 33

I **Gac**: Third quaver c^5.

25-26

AS, **Gac**: The unusual "polyphonic" notation was retained and extended to 29-30, which uses the same melodic pattern.

37 I

AS, **Gac**: The "8va" indication in **AS** goes up to $f^4 + a^5$, while in **Gac** it goes up to $e^4 + g^5$; the latter is used in this edition and in **EC**.

39 I

AS: The "8va" indication beginning at 38 I third quaver ($d^5 + f^6$) ascends to $f^4 + a^5$ on the second quaver. This solution was also adopted in **EC**.

Variation II

44 II, 56 I, 60 I

Gac: dynamic indications lacking.

Variation III

66, 78 II

Gac: The staccato markings are only present in these two bb.

70

AS, **Gac**: Missing staccato marking.

78 I-79 I, 82 I-83 I

EC: The slur starts on the f^5 semiquaver. This articulation is missing in **Gac**.

82 I

Gac: The "8va" indication beginning at the third quaver (a^5) of 80 I is not very clearly written, and continues on the lower stave almost until the d^5 quaver in 82 I.

Variation IV

89 I

Gac: Slur from the g^2 semiquaver to b^5.

95 I

Gac, **AS** =

The last two quavers have been corrected to semiquavers. **EC** replaces a^5 with f^5.

96 II, 97 I, 100 II

Gac: The staccato indication is missing (e^5, a^4, a^5).

Variation VI

131 II

Gac: An "*8va*" indication is placed above the last three semiquavers (b^5 - e^6 - g^6).